Collana I
1°

a cura di A. De Giuli e C. M. Naddeo

Italiano Facile
Collana di racconti

Progetto grafico copertina
e illustrazione:
Leonardo Cardini

Progetto grafico interno:
Paolo Lippi

Illustrazioni interne:
Mat Pogo

Prima edizione: 1999
Ultima ristampa: agosto 2006

ISBN libro: 88-86440-17-0

© **ALMA EDIZIONI srl**
viale dei Cadorna, 44
50129 Firenze - Italia
tel ++39 055476644   fax ++39 055473531
info@almaedizioni.it - www.almaedizioni.it

PRINTED IN ITALY
la Cittadina, azienda grafica - Gianico (BS)
www.lacittadina.it

Giovanni Ducci

Il signor Rigoni

ALMA Edizioni
Firenze

\ DAL MEDICO

Per i giornali, Aristide Rigoni è l'uomo più strano degli ultimi cinquant'anni, dal giorno della sua nascita. È un uomo alto, forte, con due gambe lunghe e con una grossa bocca. Un uomo strano, ma non perché ha la bocca grande, o perché è alto quasi come un albero. Perché il signor Rigoni è strano? Torniamo indietro di qualche giorno, per capire meglio. Torniamo indietro al giorno del suo primo incontro con il medico.

- Buongiorno, dottore.
- Buongiorno, prego, prego.
- Grazie, molto gentile.
- Il Suo nome?
- Rigoni. Aristide.
- Un bel nome.
- Grazie, molto gentile.
- Anni?
- Cinquanta.
- Va bene, qual è il Suo problema?
- Dottore, il mio problema sono le **righe**.
- A cinquant'anni, è normale avere un po' di **rughe** sulla faccia.

---

righe: linee.

═══════
────────
────────

rughe: linee della pelle che vengono sul viso di una persona quando diventa vecchia. Es.: *mia nonna è vecchia, ha il viso pieno di rughe*.

- No. Non le rughe, dottore, le righe!

- Le righe? Quali righe?

- Tutte le righe. Io vedo tutto a righe.

- Vede tutto a righe?

- Esatto. Vedo tutto a righe, da destra a sinistra.

- Lei vuol dire che vede il mondo a righe?

- Sì. Da destra a sinistra.

- Mi scusi, ma vorrei capire bene. Lei sta dicendo che quando apre gli occhi, davanti a Lei ci sono le righe?

- Esatto. Le righe, le **strisce**. stripes

- E di che colore sono, queste righe?

- Lo stesso colore delle cose. Bianche, rosse, nere...

- Questo è davvero strano. E da quanto tempo, scusi?

- Da quanto tempo cosa?

- Da quanto tempo ha questa... malattia?

- Da sempre; dal mio primo giorno di vita.

- È sicuro di vedere a righe?

- Certo. Dottore, io non vedo "meno" delle altre persone. Io sono come loro, vedo tutto quello che gli altri vedono, però vedo tutto a righe.

- Incredibile.

- È incredibile, ma è così.

- Veramente strano.

- Dobbiamo fare qualcosa.

---

strisce: linee un po' più grosse delle righe. Es.: *la bandiera americana è a strisce rosse e bianche.*

Note

- Sì, dobbiamo fare qualcosa. Ho un'idea: facciamo degli esami agli occhi, prima di tutto.

Il dottore prende una penna e scrive qualcosa.

- Ecco. Ci vediamo tra un mese. Arrivederci.
- Arrivederci, dottore.

Ecco come il Signor Rigoni vede un albero.

Ed ecco come noi vediamo lo stesso albero.

2 IL SIGNOR RIGONI TORNA DAL MEDICO

Un mese dopo, Rigoni è di nuovo dal dottore.

- Allora, dottore?
- Sig. Rigoni, i Suoi occhi stanno bene.
- Che significa?
- Non c'è niente che non va. Forse il problema è la testa.
- Scusi, secondo Lei, io sono **matto**?
- No, no, Lei non è matto, ma forse la Sua testa dice che ci sono le righe, anche se non è vero.
- E allora, che cosa devo fare?
- Non deve fare niente.
- Come? Non devo fare niente?
- Qualcuno non vede da lontano, altri non vedono da vicino. Tanta gente vede poco i colori, Lei vede bene, però a righe.
- Ma così la vita per me non è facile.
- No, non è facile, ma la vita è difficile per tutti. E poi, Lei vive a righe soltanto metà della Sua vita. Mentre dorme, questo non è più un problema.
- Non è vero, dottore. Anche la notte è un problema. Infatti, anche i miei **sogni** sono a righe.

---

matto: persona con problemi psicologici. *Es.: Giovanni è matto. Mette il sale nel caffè.*

sogni: storie che immaginiamo di vivere quando dormiamo. *Es.: la notte dormo male perché faccio sempre brutti sogni.*

Note

- Anche i Suoi sogni?

- Sì. Io sogno a righe e poi la mia notte comincia quando mi metto il pigiama·ed anche quello è a righe.

- Beh, i pigiami sono quasi sempre a righe. Comunque, come medico, io dico questo: Lei vede a righe e deve accettare di vivere la Sua vita a righe.

- E va bene, dottore, capisco. Arrivederci.

- A presto, signor Rigoni.

3 LA STRADA

Andare per strada non è facile per il signor Rigoni, perché è piena di righe. Ha una macchina ma non può guidare, perché non passa mai l'esame per la **patente,** ma il vero problema è un altro: dove deve **attraversare**?

Un giorno, il signor Rigoni esce di casa per camminare un po'. Arriva una grossa macchina. È veloce e il nostro amico fa un passo indietro all'ultimo momento. Un poliziotto vede

---

patente: licenza di guida, documento necessario per guidare un'automobile. Es.: *la mia fotografia sulla patente è vecchia.*

attraversare: andare da una parte all'altra di un posto, passare attraverso un luogo. Es.: *il Tevere è il fiume che attraversa Roma.*

tutto e alza la mano per chiamare Rigoni.

- ATTENZIONE! Ma non vede le macchine?
- Mi scusi! Mi dispiace molto.
- Perché non attraversa sulle <u>strisce</u>? *zebra crossing*

Il poliziotto non può sapere che per Rigoni la strada è piena di strisce!

La giornata è fredda e comincia a piovere. Il nostro amico ha un ombrello, ma non vuole più camminare. Vede una fermata dell'autobus, a pochi metri. Un ragazzo e una ragazza si prendono per mano e poi si baciano; *kiss* anche loro aspettano l'autobus. Il signor Rigoni guarda i due giovani. Si sente un po' solo, ma poi arriva altra gente; in pochi minuti arrivano venti persone, venti persone a righe. La pioggia scende, è una pioggia a righe. Sopra le loro teste ci sono mille ombrelli, naturalmente a righe. Finalmente arriva un autobus, da lontano. Qualcuno domanda: "Che numero è?" Non è facile vedere che numero è quell'autobus, perché ci sono troppi ombrelli e troppe righe. L'autobus si ferma piano piano e la gente **corre** alle porte. *"Sì, è il numero quarantaquattro. È l'autobus che fa il giro del centro storico"*, pensa Aristide. *"Ferma proprio vicino a casa mia."*

Rigoni sale e l'autobus parte. Dentro, un muro di persone e di ombrelli chiusi. È impossibile vedere qualcosa dal finestrino,

---

corre (inf. correre): andare, muoversi velocemente. Es.: *un gatto corre più veloce di un elefante.*

perché fa troppo freddo. Così, il signor Rigoni capisce troppo tardi che quell'autobus non va verso casa, ma va fuori città. Infatti, non è il quarantaquattro, come appare agli occhi di Aristide, ma il numero undici. Un undici a righe, naturalmente.

Così il signor Rigoni vede l'autobus da davanti:

44

Ed ecco cosa vediamo noi, persone normali:

11

Quando il povero Rigoni capisce che non è il suo autobus,
scende subito. È **triste** e guarda **in basso**. La sua casa è lontana
ancora tre chilometri di righe.

4 IL SIGNOR RIGONI E LE VACANZE

Anche in vacanza, la vita del Signor Rigoni è piena di
problemi. Immaginiamo di essere in mezzo al mare blu;
pensiamo al sole caldo sopra le nostre teste e ora pensiamo
all'acqua a righe, come in una carta geografica. Per il signor
Rigoni, andare in vacanza non è divertente come per noi.
Vedere il mare della Sicilia e vedere il mare della Sicilia a
righe, non è la stessa cosa. È come guardare fuori da una
finestra con le **sbarre**. È come vedere il mondo da dentro uno
zoo. E la montagna? È bello guardare la natura in montagna,
se le righe attraversano il panorama? È bello alzare gli occhi
e guardare il cielo a righe? Quindi, dobbiamo essere contenti

---

triste: non allegro, non contento. Es.: *la bambina è triste perché il suo cane è
morto.*

in basso: in giù, per terra. Es.: *guardo in basso per vedere il colore delle mie
scarpe.*

sbarre:

di quello che abbiamo. Dobbiamo essere felici di quello che vediamo. Il signor Rigoni ha tutta la nostra solidarietà.

5 IL SIGNOR RIGONI E LE DONNE

No, il signor Rigoni non è fortunato neanche con le donne. Questo è il suo ultimo dialogo con la sua ragazza, davanti al mare di Sorrento.

- Oggi sei strana, Marzia. Che hai?
- Niente. Però voglio stare da sola.
- Vuoi andare a casa?
- Sì, non voglio stare qui. Aristide, tu stai bene con me?
- Certo. E tu? Stai bene con me?
- Io... io non lo so.
- Non lo sai?
- Sì, sto bene con te, ma sto bene anche senza di te.
- Perché?
- Tu non dici mai una parola gentile, una parola romantica. Per una donna, è bello sentire parole dolci.
- Ma noi, proprio in questo momento, siamo in una città molto romantica.
- Ecco. Siamo a Sorrento. Siamo in un posto romantico e tu non dici una parola romantica.
- Perché devo parlare del posto quando il posto parla per noi?
- Ma non devi parlare di Sorrento, devi parlare d'amore con me. Non capisci.
- Sì, invece. Capisco tutto. Capisco che sei stanca di me.
- Io sono stanca di te?

Note

- Sì. È sempre così con tutte le mie donne. Dopo un po' di tempo si stancano tutte.

- Ho solo bisogno di sentire un po' di zucchero e **miele** nelle parole. Aristide, i tuoi occhi parlano e dicono che sei dolce. Ma tu, quando guardi dentro i miei occhi, che cosa vedi?

- Io vedo tutte righe. Come faccio a essere romantico, se vedo tutto a righe?

- Come fanno i cantanti ciechi? Stevie Wonder, Ray Charles, loro non vedono niente, ma parlano d'amore.

- Ma quelli sono artisti.

- Ecco. Tu non sei un artista. Questa è la verità e forse io non sono la donna per te.

- No. La verità è un'altra. Io ho un problema e tu non ami i problemi degli altri. Questa è la verità.

Il signor Rigoni sente che questa è l'ultima volta che vede la sua ragazza.

miele:

Note

6 IL SIGNOR RIGONI E LO SPORT

Il signor Rigoni ama lo sport; tutte le domeniche, i ragazzi si incontrano vicino a casa sua per giocare a **calcio**, lo sport preferito di Rigoni. Qualche volta Rigoni si ferma a guardare. Qualche volta chiede anche di giocare:

- Posso giocare con voi?
- Perché no? Sei bravo?
- Beh, io corro molto. Posso giocare a destra, a sinistra, davanti o dietro.
- Qui corriamo tutti, ma nessuno vuole stare in **porta**. Tu sei alto e hai le mani grandi.
- Devo proprio stare in porta? Ho freddo, vorrei correre un po'.
- Sì, ma tu non hai la **maglia**, quindi devi stare in porta. Noi siamo quelli bianchi. Gli altri sono quelli con la maglia a righe.
- Va bene.

La partita comincia. Quando una **squadra** ha la maglia a

---

calcio: football.

porta:

maglia:

squadra: gruppo di giocatori con la stessa maglia. Es.: *la Juventus è la squadra di calcio di Torino.*

Note

righe, succede sempre la stessa cosa. Per Aristide, tutti i giocatori sono uguali.

- Ma che fai? Sei matto?
- A chi passi la **palla**? Quello non sta con noi!
- Se non sai giocare, perché non fai un altro sport?

Le partite del signor Rigoni finiscono sempre molto presto. Ma il nostro amico non si ferma davanti a questo. *"Le mie gambe sono lunghe. Voglio correre i duecento metri"*, pensa. *"Lì, non ci sono maglie da guardare."*

Così, arriva il suo giorno: per la prima volta Rigoni corre i duecento metri. Tutto è pronto. Rigoni parte bene, ma a venti metri dall'arrivo...

- Ma dove va? Questa è la mia **corsia**!
- STOP! STOP! Lei non può entrare nella mia corsia.
- Che cosa fa? Perché non corre dentro la sua corsia?
- Mi dispiace molto. Chiedo scusa a tutti. Vado via, vado via.

Per Rigoni, i duecento metri finiscono prima dell'arrivo.

---

palla:

corsia: la parte della pista o della strada dove si corre. *Es.: una moderna autostrada a otto corsie attraversa tutto il paese.*

7 IL SIGNOR RIGONI VA A FARE SPESE

"L'**ABITO** DEI TUOI SOGNI" è il nome di un importante negozio nel cuore della città, un negozio di vestiti da uomo. Aristide Rigoni vuole fare un **regalo** a se stesso. Quando si sente triste, Aristide compra sempre qualcosa. Così, un giorno, arriva fino all'entrata del negozio e si ferma davanti. Guarda le **vetrine**, a righe. *"Bello quel vestito"*, pensa il Signor Rigoni, *"ma non so quanto costa."*

C'è solo un modo per conoscere il prezzo. Entrare e domandare.

Una donna cammina verso di lui. È giovane e carina, ha i capelli lunghi, a righe.

- Buongiorno, desidera?
- Buongiorno, vorrei vedere quel vestito da uomo in vetrina.
- Quale, quello classico, grigio?
- Sì, quello classico. Eccolo lì, quello a righe.
- Quale, scusi?
- È proprio davanti a Lei, vicino alle **cravatte** a righe!

---

abito: vestito. Es.: *un abito da uomo è un completo di giacca e pantaloni.*

vetrine: le finestre di un negozio sulla strada. Es.: *quando vado in centro, mi piace guardare le vetrine dei negozi.*

regalo:

cravatte:

Note

- Ma noi non abbiamo cravatte a righe! Di quali cravatte parla?

- Di quelle vicino al pigiama.

- Ma quale pigiama?

- Questo qui, non è forse un pigiama, scusi?

- No, non è un pigiama, questa è una maglia di puro cotone.

Il signor Rigoni mostra alla donna l'abito che vuole vedere.

- Ah, questo? Ma questo non ha le righe!

- Non ha le righe?

- No, è un vestito senza disegni, molto elegante. Vuole vedere uno di questi con le righe?

- Avete vestiti a righe?

- Certo, abbiamo vestiti di tutti i tipi. Adesso vado subito a prendere un bellissimo abito a righe. Torno fra un momento.

La donna esce dalla stanza. Dopo un po' ritorna con qualcosa in mano.

- Ecco qua. Guardi, un vero abito da uomo a righe. Non è meraviglioso?

- Ma questo, scusi, è **a quadri**!

- A quadri?

- A quadri, a quadri.

- Ma dove vede i quadri, scusi?

- Andiamo vicino alla finestra, forse si vede meglio.

---

a quadri:

Il vestito, per Rigoni.

Il vestito, per noi.

Queste sono righe, non quadri, non conosce la geometria?
- Io continuo a vedere un vestito a quadri.
- Senta, io sono qui per lavorare. Ci sono tanti clienti che aspettano. Se Lei vuole comprare qualcosa, bene. Se vuole perdere tempo, arrivederci!

È sempre la stessa storia, tutti i giorni, da anni.

Note

✗ IL SIGNOR RIGONI E LA TELEVISIONE

Il signor Rigoni esce dal negozio. Ancora pensa a quel bel vestito grigio che lui vede a righe. Va verso casa. *"Stasera c'è un programma alla radio che non voglio assolutamente perdere"*, pensa.

Aristide ascolta spesso la radio. *"Lì, non ci sono righe."* Quando arriva all'entrata del suo palazzo a righe, entra e dice "buongiorno" al **portiere.**

Salire quelle scale a righe non è facile per Rigoni; deve fare attenzione a dove mette i suoi lunghi piedi. Aristide abita da solo, in un appartamento al quarto piano. Nel suo appartamento tutto è a righe, anche le **pareti.** Apre la porta, entra ma non trova la radio. Allora accende il televisore. Su RAI 1, c'è uno show con tanta gente che parla, ride e si diverte.

Qualcosa prende l'attenzione del Signor Rigoni, in quel programma televisivo. Un uomo con una giacca rossa parla di un nuovo gioco, con la voce molto alta. Rigoni si ferma ad ascoltare cosa dice:

---

portiere: la persona che lavora all'entrata di un palazzo. Es.: *il mio portiere conosce tutta la gente del palazzo.*

pareti: le mura interne di una stanza. Es.: *le pareti del mio appartamento sono bianche.*

Note

- Signore e signori, sono molto contento di presentare un nuovo gioco: "IL GIOCO DEI **QUADRI**". Sopra una parete ci sono quindici quadri. Ogni quadro ha un numero. I quadri, però, sono tutti un po' **storti**. Tre di questi sono più storti degli altri. Quali sono? Quando io dico "VIA!", il giocatore può guardare la parete per cinque secondi e può dare la risposta.

Il signor Rigoni vede il programma fino alla fine, ma nessuno vince. *"Non è così difficile"*, pensa. È vero. I suoi occhi vedono righe **dritte**, drittissime. Deve soltanto **seguire** con il **dito** le linee che ha davanti tutto il tempo; in questo modo, può capire facilmente quali sono i tre quadri più storti.

Anche il signor Rigoni vuole giocare. Scrive la domanda di partecipazione al programma e dopo due mesi arriva una lettera con la risposta.

SIAMO FELICI DI INVITARE IL SIGNOR RIGONI ARISTIDE AL PROGRAMMA TELEVISIVO "IL GIOCO DEI QUADRI" PER IL GIORNO 29 FEBBRAIO...

---

quadri: 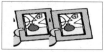   **storti:**   **dritte:**

seguire: andare dietro qualcosa o qualcuno. Es.: *un cane segue sempre il suo padrone.*

dito:

Note

ๆ IL SIGNOR RIGONI E IL GIOCO

Quel giorno arriva presto. Ecco cosa succede.

- Signore e signori, ecco il momento che tutti aspettate: "IL GIOCO DEI QUADRI". Come sempre, ci sono milioni di persone davanti al video in questo momento. Vediamo subito chi gioca stasera. Per favore, Michela!

Una bella ragazza con i capelli biondi porta Rigoni nello studio e dice:

- Oggi gioca con noi il signor Aristide Righetti, di Rigabianca.

Quando Rigoni entra, si accende una luce forte. Il pubblico **batte le mani**. *applaud*

- Buonasera, signor Aristide e benvenuto al nostro gioco.
- Buonasera, signor Fumagalli.
- Da dove viene?
- Io vengo da Rigabianca.
- Ah, io conosco bene Rigabianca, È una città interessante. Lei che cosa fa nella vita, signor Righi?
- Rigoni. Il mio nome è Rigoni.
- Rigoni..., mi scusi. Lei è qui per giocare. È pronto?

---

batte le mani (inf. battere): fare un applauso. *Es.: quando uno spettacolo piace, il pubblico batte le mani.*

Note

- Prontissimo.
- Conosce bene il nostro gioco?
- Sì, sì.
- Bene, non perdiamo tempo. Lei può diventare famoso, Signor RRR...
- Rigoni.
- Rigoni, ecco. Prego, Michela!

Michela porta Rigoni al centro dello studio.

- Lei vede bene da lì?
- Abbastanza... bene.
- È pronto?
- Sì.
- Meno quattro, tre, due, uno...VIA!

Il signor Rigoni studia con attenzione la parete per cinque secondi.
- Allora, conosce la risposta, signor Rigoni?
- Credo di sì.
- Vediamo, quali sono i quadri più storti?

Aristide pensa un momento, poi dice:

- Sono il numero tre, sette e dodici.
- RISPOSTA ESATTA!

Note

Parte una musica altissima, mentre il pubblico **grida**: BRAVO! BRAVO! Aristide non sa cosa fare. È ancora al centro dello studio e aspetta. Fumagalli muove le mani come un direttore d'orchestra, poi alza il braccio del sig. Rigoni e dice:

- Signore e signori, per la prima volta... dopo tanto tempo, qualcuno vince al nostro gioco! Aristide Rigoni!
- Grazie, grazie.
- Caro Aristide, Lei vince cento milioni di lire, più un bellissimo quadro, più sette notti per due persone a Taormina, in un bellissimo ed elegante hotel a quattro stelle. È contento?
- Sì, certo, moltissimo.
- Lei va al mare, signor Rigoni? O preferisce la montagna?
- No, ehm... mi piace anche il mare.
- Con chi vuole andare in vacanza?
- Non lo so.
- Ma come no? Non è sposato?
- Io... no.
- Come è possibile? Un uomo così alto. Non ha la ragazza?
- Io... la ragazza... no, non ce l'ho.
- Impossibile. Un uomo così alto, con una bocca così grande..!
- Veramente... io...
- Naturalmente, Lei ha la possibilità di ritornare la settimana prossima per giocare di nuovo al gioco dei quadri storti.

---

grida: (inf. gridare): parlare a voce molto alta. *Es.: molte persone gridano quando sono nervose.*

Note

Fumagalli parla velocissimo; fa i saluti finali e chiude il programma. In pochi secondi tutti vanno via, le luci si spengono ma Aristide rimane da solo al centro della studio.

- Ma cosa fa ancora qui? Deve uscire! - grida un uomo.
- Sì, ecco, vado via, vado via.

10 RIGONI DIVENTA FAMOSO

Rigoni esce subito dallo studio e torna a casa. Il giorno dopo, di mattina presto, il portiere del suo palazzo suona alla porta di Rigoni; Aristide ha ancora **sonno** e va lentamente ad aprire la porta, in pigiama (a righe).

- Buongiorno, signor Aristide.
- Buongiorno.
- Complimenti per ieri sera, davvero complimenti.
- Grazie, grazie.
- Senta, qui ci sono dei giornalisti. Vogliono parlare con Lei.
- Con Lei?
- No, non con me, con Lei. Vogliono sapere di ieri sera.

Il portiere ha un giornale con la foto di Aristide in prima pagina.

(avere) **sonno**: (avere) voglia di dormire. Es.: *voglio andare a letto perché ho sonno.*

In quel momento, da una macchina fotografica parte una luce fortissima. Aristide chiude la porta. Adesso è famoso ma non è ancora pronto per questo; così, decide di non uscire per una settimana. Vuole stare chiuso in casa per **difendere** la sua vita privata. Il tempo passa veloce e presto arriva il giorno del gioco. Adesso Fumagalli non sbaglia più il nome del nostro amico.

- Allora, signor Rigoni, è contento di essere ancora qui con noi?

- Sì, molto.

- Noi riceviamo tutti i giorni lettere e telefonate per Lei. Vuole dire qualcosa al Suo pubblico?

- No, preferisco andare subito a giocare.

- Bene, allora giochiamo. Oggi può vincere duecento milioni. Naturalmente, signor Rigoni, il gioco adesso è un po' più difficile. Oggi i quadri storti sono ancora tre, ma i quadri in totale sono venti.

Per la seconda volta, Michela porta Rigoni al centro dello studio.

- È pronto? Meno quattro, tre, due, uno... VIA!

Il signor Rigoni studia con attenzione la parete per cinque secondi.

---

difendere: proteggere. Es.: *la guardia del corpo deve difendere la vita del Presidente.*

Note

- Allora, conosce la risposta, signor Rigoni?
- Credo di sì.
- Vediamo, quali sono quelli più storti?

Aristide pensa un momento poi dice:

- Sono il numero sette, undici e diciotto.
- RISPOSTA ESATTA! Ma è incredibile!

Parte la musica, mentre il pubblico batte forte le mani e grida:

BRAVO! BRAVO! VIVA RIGONI! VIVA RIGONI!

Fumagalli vuole parlare ma il pubblico grida troppo forte.
RI-GO-NI! RI-GO-NI! RI-GO-NI!

In poche settimane, Aristide diventa famoso in tutto il paese.
Continua a vincere molti soldi e il suo successo personale è giorno dopo giorno sempre più grande. Ormai la sua vita è molto diversa da quella di prima. La gente spesso ferma Rigoni per strada. Tutti vogliono parlare con lui.

\\ RIGONI INCONTRA MARZIA

Un giorno, il signor Rigoni incontra (di nuovo) la sua ex ragazza.

- Ciao, Aristide.
- Marzia!
- Come stai?
- Bene. Ma che fai qui?
- Sono qui per parlare con te. Sono qui per chiedere scusa. Voglio ricominciare tutto.
- Vuoi ricominciare che cosa?
- La nostra storia d'amore, Aristide.
- Sei sicura?
- Assolutamente.
- Adesso vuoi ricominciare perché io sono famoso e ricco?
- No, non è questo.
- E allora perché? Tu conosci il mio problema.
- Sì. Conosco il tuo problema e so che proprio questo problema è il tuo segreto. Io so perché vinci sempre a quel gioco. Tu vinci perché vedi le righe.
- Sì. E allora?
- Adesso capisco. Avere un problema non è sempre un problema.
- Marzia, vedere a righe è una cosa buona?

- Sì, perché porta cose buone nella tua vita!
- Quali cose buone?
- Per esempio, me.

Rigoni pensa un momento. Marzia comincia a piangere. cry

- Torniamo insieme, Aristide.
- Prima voglio essere sicuro che tu ami me e non il mio successo. Devi aspettare la prossima settimana.
- Va bene. Faccio come vuoi.
- A presto, allora.

12 L'ULTIMA VOLTA IN TV

La settimana dopo, Rigoni torna in televisione, ma non per giocare.

- Buonasera.
- Buonasera a Lei, Sig. Rigoni. Come va?
- Bene, grazie. Sig. Fumagalli, devo dire qualcosa al mio pubblico.
- Prego, Aristide.
- Vorrei dire che sono molto felice di essere ancora qui, ma questa per me è l'ultima volta.

Note

- Come? Veramente?

- Sì, questa sera non gioco.

- Oh no, mi dispiace molto!

- Sì, sono stanco e poi non voglio tutti questi milioni.

- È sicuro?

- Sì. Voglio dare metà dei soldi a chi vive in **prigione** e l'altra metà agli animali dello zoo. Io so com'è difficile la vita da dietro le sbarre.

- Lei ha un cuore grande, signor Rigoni.

- Grazie a tutti, grazie mille. Arrivederci.

- Grazie a Lei. Facciamo un grosso applauso al signor Rigoni!

13 IL RITORNO DI MARZIA

Aristide esce dallo studio per l'ultima volta. Gira la testa a destra e a sinistra per cercare Marzia. Ma Marzia non c'è. Prende un taxi e va a casa. Sale le scale e quando arriva al suo appartamento, vede qualcuno davanti alla porta. È Marzia. La sua ragazza a righe. I due cominciano a parlare:

- Ciao.

- Che fai qui?

---

prigione: carcere, dove vive chi non rispetta la legge. Es.: *la polizia porta i criminali in prigione.*

Note

- Aspetto l'eroe della televisione.
- Non sono più l'eroe della televisione, da stasera.
- Sì, lo so, ma per me sei ancora un eroe.
- Non stiamo qui. Andiamo dentro.

 Entrano.

- Marzia, io non sono più ricco.
- Sì, ma io voglio te, non i tuoi soldi. Tu sei speciale. Non c'è un altro Aristide Rigoni al mondo.
- Questo è vero. Ma ho paura.
- Di che cosa hai paura?
- Ho paura che non dici la verità. Cosa devo fare? Devo credere in te?
- Sì, per favore.
- Forse è tutto un sogno. Vado a letto. Vuoi restare qui per la notte? Io posso dormire sul **divano** a righe.
- Sì. Grazie. Resto volentieri e domani mattina preparo io la colazione.
- Sei gentile.
- Adesso voglio essere sempre gentile con te. Caffè o tè per domani mattina?
- Caffè, grazie. Caffè.

---

divano:

14 UNA VITA NUOVA

Un mese dopo, Rigoni è in una casa nuova. Adesso abita lì con Marzia. Ogni giorno, un giornalista va da lui per parlare della sua vita. *"Se vendo la mia storia ai giornali"*, pensa Aristide, *"posso finire di pagare la casa. Dopotutto, i soldi aiutano a vivere meglio."*

Una mattina, Rigoni si sveglia molto presto. Si sente strano. Con gli occhi ancora chiusi, va in bagno. Si lava la faccia, si guarda nello **specchio** e cosa vede? Le righe non ci sono più! Ma come è possibile?

Chiude gli occhi di nuovo, mette la testa sotto l'acqua fredda, poi apre ancora gli occhi ma... niente righe!

"Ora sono come tutti gli altri; è strano, un pò mi dispiace, però ora comincia una nuova vita. O forse no, la mia vita è già nuova."

Adesso il signor Rigoni è veramente felice. Non ha più bisogno delle righe!

---

specchio:

ESERCIZI

DAL MEDICO

A. *Le frasi sono vere o false? Rispondi con una X.*

	V	F
1) - Rigoni è un uomo basso e grasso.	☐	☒
2) - Rigoni vede righe che vanno dall'alto in basso.	☐	☐
3) - Rigoni deve fare un esame medico agli occhi.	☒	☐
4) - Rigoni vede a righe solo da poco tempo.	☐	☒

B. *Riordina il dialogo.*

9   1) - Sì. Da destra a sinistra.

2   2) - A cinquant'anni, è normale avere un po' di rughe sulla faccia.

5   3) - Tutte le righe. Io vedo tutto a righe.

7   4) - Esatto. Vedo tutto a righe, da destra a sinistra.

3   5) - No. Non le rughe, dottore, le righe!

8   6) - Vede tutto a righe?

1   7) - Dottore, il mio problema sono le righe.

6   8) - Lei vuol dire che vede il mondo a righe?

4   9) - Le righe? Quali righe?

C. *Completa le parole.*

Per i giornal.i., Aristide Rigoni è l'uomo più strano degli ultim.i. cinquant'ann.i., dal giorno della sua nascit.a. È un

uomo alt.., fort.., con due gamb... lungh... e con una gross..
bocc... Un uomo strano, ma non perché ha la bocc... grand...,
o perché è alt.. quasi come un albero. Perché il signor Rigoni
è strano? Torniamo indietro di qualch... giorn..., per capire
meglio. Torniamo indietro al giorno del suo prim.. incontr..
con il medic....

IL SIGNOR RIGONI TORNA DAL MEDICO

A. Le frasi sono vere o false? Rispondi con una X.

	V	F
1) - Il medico dice a Rigoni che è matto.	☐	☐
2) - Rigoni deve prendere delle medicine.	☐	☐
3) - I sogni di Rigoni sono a righe.	☐	☐
4) - Rigoni dorme senza pigiama.	☐	☐

B. Riordina il dialogo.

1) - Allora, dottore?

2) - No, no, Lei non è matto, ma forse la Sua testa dice che
ci sono le righe, anche se non è vero.

3) - Scusi, secondo Lei, io sono matto?

4) - Sig. Rigoni, i Suoi occhi stanno bene.

5) - E allora, che cosa devo fare?

6) - Che significa?

7) - Non deve fare niente.

8) - Non c'è niente che non va. Forse il problema è la testa.

Note

C. Completa con i verbi.

- Come? Non devo fare niente?
- Qualcuno non _____ (vedere) da lontano, altri non _____ (vedere) da vicino. Tanta gente _____ (vedere) poco i colori, Lei vede bene, però a righe.
- Ma così la vita per me non è facile.
- No, non è facile, ma la vita è difficile per tutti. E poi, Lei _____ (vivere) a righe soltanto metà della Sua vita. Mentre _____ (dormire), questo non è più un problema.
- Non è vero, dottore. Anche la notte è un problema. Infatti, anche i miei sogni _____ (essere) a righe.
- Anche i Suoi sogni?
- Sì. Io sogno a righe e poi la mia notte comincia quando _____ (mettersi) il pigiama ed anche quello è a righe.

LA STRADA

A. Le frasi sono vere o false? Rispondi con una X.

	V	F
1) - Rigoni non può guidare.	☐	☐
2) - È una splendida giornata di sole.	☐	☐
3) - Rigoni vuole tornare a casa in autobus.	☐	☐
4) - Rigoni abita fuori città.	☐	☐

Note

B. *Completa con i verbi.*

La giornata è fredda e _____ (cominciare) a piovere. Il nostro amico ha un ombrello, ma non _____ (volere) più camminare. Vede una fermata dell'autobus, a pochi metri. Un ragazzo e una ragazza si prendono per mano e poi _____ (baciarsi); anche loro _____ (aspettare) l'autobus. Il signor Rigoni guarda i due giovani. _____ (sentirsi) un po' solo, ma poi arriva altra gente; in pochi minuti arrivano venti persone, venti persone a righe. La pioggia _____ (scendere), è una pioggia a righe. Sopra le loro teste _____ (esserci) mille ombrelli, naturalmente a righe.

C. *In questo testo ci sono 4 errori. Quali sono?*

Finalmente arriva un autobus, da lontano. Qualcuno domandano: "Che numero è?" Non è facile vedere che numero è quell'autobus, perché c'è troppi ombrelli e troppe righe. L'autobus si ferma piano piano e la gente corrono alle porte. *"Sì, è il numero quarantaquattro. È l'autobus che fa il giro del centro storico"*, pensa Aristide. *"Ferma proprio vicino a casa mia."*

Rigoni sale e l'autobus parte. Dentro, un muro di persone e di ombrelli chiuse.

IL SIGNOR RIGONI E LE VACANZE

A. Le frasi sono vere o false? Rispondi con una X.

	V	F
1) - La vita di Rigoni è più divertente della nostra, perché vede a righe.	☐	☐
2) - Rigoni non va mai in vacanza.	☐	☐

B. Scegli l'articolo giusto.

Anche in vacanza, (*la/una/lo*) vita del Signor Rigoni è piena di problemi. Immaginiamo di essere in mezzo al mare blu; pensiamo al sole caldo sopra (*la/i/le*) nostre teste e ora pensiamo all'acqua a righe, come in una carta geografica. Per il signor Rigoni, andare in vacanza non è divertente come per noi. Vedere (*lo/il/la*) mare della Sicilia e vedere (*i/gli/il*) mare della Sicilia a righe, non è la stessa cosa. È come guardare fuori da (*un/la/una*) finestra con le sbarre. È come vedere il mondo da dentro (*un/uno/il*) zoo. E la montagna? È bello guardare la natura in montagna, se le righe attraversano (*lo/il/i*) panorama? È bello alzare (*i/le/gli*) occhi e guardare il cielo a righe? Quindi, dobbiamo essere contenti di quello che abbiamo. Dobbiamo essere felici di quello che vediamo. Il signor Rigoni ha tutta la nostra solidarietà.

IL SIGNOR RIGONI E LE DONNE

A. Le frasi sono vere o false? Rispondi con una X.

	V	F
1) - Marzia è la moglie di Rigoni.	☐	☐
2) - A Rigoni non piace parlare d'amore.	☐	☐
3) - Marzia è la prima fidanzata di Rigoni.	☐	☐
4) - Sorrento è una città italiana sul mare.	☐	☐

B. Riordina il dialogo.

1) - Niente. Però voglio stare da sola.

2) - Vuoi andare a casa?

3) - Sì, sto bene con te, ma sto bene anche senza di te.

4) - Sì, non voglio stare qui. Aristide, tu stai bene con me?

5) - Io... io non lo so.

6) - Oggi sei strana, Marzia. Che hai?

7) - Certo. E tu? Stai bene con me?

8) - Non lo sai?

C. Completa le parole.

- Tu non dici mai una parol... gentil..., una parol... romantic.... Per una donna, è bello sentire parol... dolc....

- Ma noi, proprio in quest... moment..., siamo in una città molto romantic....

Note

- Ecco. Siamo a Sorrento. Siamo in un post... romantic... e tu non dici una parola romantica.

- Perché devo parlare del posto quando il posto parla per noi?

- Ma non devi parlare di Sorrento, devi parlare d'amore con me. Non capisci.

- Sì, invece. Capisco tutto. Capisco che sei stanc... di me.

- Io sono stanc... di te?

- Sì. È sempre così con tutt... le mi... donn.... Dopo un po' di tempo si stancano tutt....

IL SIGNOR RIGONI E LO SPORT

A. Le frasi sono vere o false? Rispondi con una X.

	V	F
1) - A Rigoni non piace lo sport.	☐	☐
2) - Rigoni preferisce non giocare in porta.	☐	☐
3) - Rigoni fa soltanto sport di squadra.	☐	☐

B. In questo testo ci sono 5 errori. Quali sono?

Il signor Rigoni ama il sport; tutte le domeniche, i ragazzi si incontra vicino a casa sua per giocare a calcio, lo sport preferito di Rigoni. Qualche volta Rigoni si ferma a guardare. Qualche volta chiede anche di giocare:

- Posso gioco con voi?

- Perché no? Sei bravo?

Note

- Beh, io corro molto. Posso gioco a destra, a sinistra, davanti o dietro.

- Qui corriamo tutti, ma nessuno vuoi stare in porta. Tu sei alto e hai le mani grandi.

- Devo proprio stare in porta? Ho freddo, vorrei correre un po'.

- Sì, ma tu non hai la maglia, quindi devi stare in porta. Noi siamo quelli bianchi. Gli altri sono quelli con la maglia a righe.

- Va bene.

IL SIGNOR RIGONI VA A FARE SPESE

A. Le frasi sono vere o false? Rispondi con una X.

	V	F
1) - La donna del negozio è giovane e bella.	☐	☐
2) - Rigoni vuole comprare un vestito da uomo.	☐	☐
3) - La donna prende un vestito a quadri per Rigoni.	☐	☐
4) - Nel negozio ci sono altre persone.	☐	☐

Note

B. Scegli le parole giuste e completa il testo.

modo - prezzo - vestiti - regalo - triste - abito - cuore - vetrine

"L'_____ DEI TUOI SOGNI" è il nome di un importante negozio nel _____ della città, un negozio di _____ da uomo. Aristide Rigoni vuole fare un _____ a se stesso. Quando si sente _____, Aristide compra sempre qualcosa. Così, un giorno, arriva fino all'entrata del negozio e si ferma davanti. Guarda le _____, a righe. *"Bello quel vestito"*, pensa il Signor Rigoni, *"ma non so quanto costa."* C'è solo un _____ per conoscere il _____. Entrare e domandare. Una donna cammina verso di lui. È giovane e carina, ha i capelli lunghi, a righe.

Una di queste parole è un aggettivo. Quale?

modo - prezzo - vestiti - regalo - triste - abito - cuore - vetrine

C. Riordina il dialogo.

1) - Di quelle vicino al pigiama.
2) - Buongiorno, desidera?
3) - Quale, quello classico, grigio?
4) - Sì, quello classico. Eccolo lì, quello a righe.

5) - Buongiorno, vorrei vedere quel vestito da uomo in vetrina.

6) - È proprio davanti a Lei, vicino alle cravatte a righe.

7) - Ma noi non abbiamo cravatte a righe! Di quali cravatte parla?

8) - Quale, scusi?

IL SIGNOR RIGONI E LA TELEVISIONE

A. Le frasi sono vere o false? Rispondi con una X.

	V	F
1) - Rigoni vive da solo.	☐	☐
2) - L'appartamento di Rigoni è al piano terra.	☐	☐
3) - Nel palazzo non c'è ascensore.	☐	☐
4) - Rigoni non ascolta mai la radio.	☐	☐
5) - Rigoni telefona alla RAI per giocare.	☐	☐

B. Scegli il verbo giusto.

Il signor Rigoni (*entra/esce/sale*) dal negozio. Ancora pensa a quel bel vestito grigio che lui vede a righe. Va verso casa. "Stasera c'è un programma alla radio che non voglio assolutamente perdere", pensa.

Aristide (*gira/guarda/ascolta*) spesso la radio. "Lì, non ci sono righe." Quando (*arriva/piace/vende*) all'entrata del suo palazzo a righe, entra e (*parla/dice/sente*) "buongiorno" al portiere.

Note

Salire quelle scale a righe non è facile per Rigoni; deve fare attenzione a dove (*va/mette/arriva*) i suoi lunghi piedi. Aristide (*nasce/scrive/abita*) da solo, in un appartamento al quarto piano. Nel suo appartamento tutto è a righe, anche le pareti. (*Spegne/Prende/Apre*) la porta, entra ma non (*cerca/trova/legge*) la radio. Allora accende il televisore.

C. Completa le parole.

Su RAI 1, c'è uno show con tant... gent... che parla, ride e si diverte.

Qualcosa prende l'attenzione del Signor Rigoni, in quel programm... televisiv.... Un uomo con una giacc... ross... parla di un nuov... gioc..., con la voce molto alt... Rigoni si ferma ad ascoltare cosa dice:

- Signor... e signor..., sono molto content... di presentare un nuov... gioco: "IL GIOCO DEI QUADRI". Sopra una parete ci sono quindici quadri. Ogni quadro ha un numero. I quadri, però, sono tutt... un po' stort... Tre di quest... sono più stort... degli altr... Quali sono? Quando io dico "VIA!", il giocatore può guardare la parete per cinque secondi e può dare la risposta.

IL SIGNOR RIGONI E IL GIOCO

A. Le frasi sono vere o false? Rispondi con una X.

	V	F
1) - Michela ha i capelli biondi.	☐	☐
2) - Fumagalli conosce bene Rigoni.	☐	☐
3) - È la prima volta che qualcuno vince al gioco dei quadri.	☐	☐
4) - Rigoni vince un viaggio per due persone.	☐	☐

B. Riordina il dialogo.

1) - Da dove viene?

2) - Rigoni. Il mio nome è Rigoni.

3) - Buonasera, signor Aristide e benvenuto al nostro gioco.

4) - Buonasera, signor Fumagalli.

5) - Prontissimo.

6) - Io vengo da Rigabianca.

7) - Ah, io conosco bene Rigabianca, È una città interessante. Lei che cosa fa nella vita, signor Righi?

8) - Rigoni..., mi scusi. Lei è qui per giocare. È pronto?

Note

C. Scegli la preposizione giusta e completa il testo.

a - a - per - in - di - al - per - con - in

- Signore e signori, _____ la prima volta... dopo tanto tempo, qualcuno vince al nostro gioco! Aristide Rigoni!
- Grazie, grazie.
- Caro Aristide, Lei vince cento milioni _____ lire, più un bellissimo quadro, più sette notti _____ due persone _____Taormina, _____ un bellissimo ed elegante hotel _____ quattro stelle. È contento?
- Sì, certo, moltissimo.
- Lei va_____ mare, signor Rigoni? O preferisce la montagna?
- No, ehm... mi piace anche il mare.
- _____ chi vuole andare _____ vacanza?
- Non lo so.

Quale di queste preposizioni contiene l'articolo?

a - a - per - in - di - al - per - con - in

D. *Completa con i verbi.*

Fumagalli parla velocissimo; _____ (fare) i saluti finali e _____ (chiudere) il programma. In pochi secondi tutti _____ (andare) via, le luci _____ (spegnersi) ma Aristide _____ (rimanere) da solo al centro della studio.

- Ma cosa fa ancora qui? _____ (Dovere) uscire! - grida un uomo.

- Sì, ecco, vado via, vado via.

RIGONI DIVENTA FAMOSO

A. *Le frasi sono vere o false? Rispondi con una X.*

	V	F
1) - Dopo il gioco, Rigoni fa un giro per la città.	☐	☐
2) - Rigoni apre la porta in pigiama.	☐	☐
3) - Rigoni non vuole parlare con i giornalisti.	☐	☐
4) - Rigoni rimane chiuso in casa per una settimana.	☐	☐
5) - Rigoni vince duecento milioni.	☐	☐

Note

B. *In questo testo ci sono 5 errori. Quali sono?*

Il portiere ha un giornale con lo foto di Aristide in prima pagina.

In quel momento, da una macchina fotografica parte una luce fortissima. Aristide chiude la porta. Adesso è famoso ma non è ancora pronto per questo; così, decide di non uscire per un settimana. Vogliono stare chiuso in casa per difendere la sua vita privata. Il tempo passa veloce e presto arriva il giorno del gioco. Adesso Fumagalli non sbaglia più il nome del nostro amico.

- Allora, signor Rigoni, è contento di essere ancora qui con noi?

- Sì, molto.

- Noi riceviamo tutti i giorni lettere e telefonate per Lei. Vuole dire qualcosa al tuo pubblico?

- No, preferisco andare subito a giocare.

- Bene, allora giochiamo. Oggi può vinco duecento milioni. Naturalmente, signor Rigoni, il gioco adesso è un po' più difficile.

C. *Scegli la parola giusta.*

In (*un po'/troppe/poche*) settimane, Aristide diventa famoso in tutto (*le/lo/il*) paese. Continua a vincere molti soldi e il (*nostro/tuo/suo*) successo personale è giorno dopo giorno sempre più grande. Ormai la sua vita è molto diversa da quella di prima. La gente (*mai/di solito/spesso*) ferma Rigoni per strada. Tutti (*vuole/può/vogliono*) parlare con lui.

RIGONI INCONTRA MARZIA

A. Le frasi sono vere o false? Rispondi con una X.

	V	F
1) - Marzia vuole tornare con Rigoni.	☐	☐
2) - Rigoni è ancora arrabbiato con Marzia.	☐	☐
3) - Marzia piange.	☐	☐

B. Rileggi il dialogo....

- Ciao, Aristide.
- Marzia!
- Come stai?
- Bene. Ma che fai qui?
- Sono qui per parlare con te. Sono qui per chiedere scusa. Voglio ricominciare tutto....

....e ora riordina quello che segue e continua la conversazione fra Marzia e Aristide.

1) - Vuoi ricominciare che cosa?
2) - Sei sicura?
3) - Assolutamente.
4) - No, non è questo.
5) - La nostra storia d'amore, Aristide.
6) - E allora perché? Tu conosci il mio problema.
7) - Sì. Conosco il tuo problema e so che proprio questo problema è il tuo segreto. Io so perché vinci sempre a quel gioco. Tu vinci perché vedi le righe.
8) - Adesso vuoi ricominciare perché io sono famoso e ricco?

C. Completa con i verbi.

Rigoni _____ (pensare) un momento. Marzia _____ (comincia) a piangere.
- _____ (Tornare) insieme, Aristide.
- Prima voglio essere sicuro che tu _____ (amare) me e non il mio successo. _____ (Dovere) aspettare la prossima settimana.
- Va bene. _____ (Fare) come vuoi.
- A presto, allora.

L'ULTIMA VOLTA IN TV

A. *Le frasi sono vere o false? Rispondi con una X.*

	V	**F**
1) - Rigoni va in televisione e gioca per l'ultima volta.	☐	☐
2) - Fumagalli è contento di non vedere più Rigoni.	☐	☐
3) - Rigoni dà i suoi soldi ad un ospedale per bambini.	☐	☐

B. *Scegli gli aggettivi giusti e completa. Attenzione! Uno di questi è di troppo.*

grosso - leggero - sicuro - felice - grande - difficile - stanco - ultima

- Buonasera.

- Buonasera a Lei, Sig. Rigoni. Come va?

- Bene, grazie. Sig. Fumagalli, devo dire qualcosa al mio pubblico.

- Prego, Aristide.

- Vorrei dire che sono molto _____ di essere ancora qui, ma questa per me è l'_____ volta.

- Come? Veramente?

- Sì, questa sera non gioco.

- Oh no, mi dispiace molto!

- Sì, sono _____ e poi non voglio tutti questi milioni.

Note

- È _____ ?

- Sì. Voglio dare metà dei soldi a chi vive in prigione e l'altra metà agli animali dello zoo. Io so com'è _____ la vita da dietro le sbarre.

- Lei ha un cuore _____, signor Rigoni.

- Grazie a tutti, grazie mille. Arrivederci.

- Grazie a Lei. Facciamo un _____ applauso al signor Rigoni!

IL RITORNO DI MARZIA - UNA NUOVA VITA

A. Le frasi sono vere o false? Rispondi con una X.

	V	F
1) - Marzia aspetta Aristide davanti alla porta.	☐	☐
2) - Rigoni dorme sulla sedia.	☐	☐
3) - La mattina Rigoni beve caffè a colazione.	☐	☐
4) - Rigoni abita a casa di Marzia.	☐	☐
5) - Anche Marzia vede il mondo a righe.	☐	☐

B. Scegli la parola giusta.

Aristide esce (*dallo/allo/dal*) studio per l'ultima volta. Gira la testa a destra e a sinistra per cercare Marzia. Ma Marzia non c'è. (*Prende/Cammina/Telefona*) un taxi e va a casa. Sale le scale e quando arriva al suo appartamento, vede qualcuno (*sopra/sotto/davanti*) alla porta. È Marzia. La sua ragazza a righe. I due cominciano (*di/a/per*) parlare.

Note

C. Riordina il dialogo.

1) - Ciao.
2) - Aspetto l'eroe della televisione.
3) - Sì, lo so, ma per me sei ancora un eroe.
4) - Che fai qui?
5) - Non sono più l'eroe della televisione, da stasera.
6) - Non stiamo qui. Andiamo dentro.

D. Completa con la preposizione giusta.

per - da - con - in - di - a - in

Un mese dopo, Rigoni è _____ una casa nuova. Adesso abita
lì _____ Marzia. Ogni giorno, un giornalista va _____ lui
_____ parlare della sua vita. *"Se vendo la mia storia ai
giornali"*, pensa Aristide, *"posso finire _____ pagare la
casa. Dopotutto, i soldi aiutano _____ vivere meglio."*
Una mattina, Rigoni si sveglia molto presto. Si sente strano.
Con gli occhi ancora chiusi, va _____ bagno. Si lava la faccia,
si guarda nello specchio e cosa vede? Le righe non ci sono più!
Ma come è possibile?

*E. Ora rileggi l'ultima parte della storia. Secondo te, il Sig.
Rigoni è contento di non vedere più a righe? Lavora con un
altro studente e comincia una discussione.*

SOLUZIONI DEGLI ESERCIZI

DAL MEDICO

A: 1 f; 2 f; 3 v; 4 f.

B: 7-2-5-9-3-6-4-8-1;

C: giornali; ultimi; anni; nascita; alto; forte; gambe; lunghe; grossa; bocca; bocca; grande; alto; qualche; giorno; primo; incontro; medico.

IL SIGNOR RIGONI TORNA DAL MEDICO

A: 1 f; 2 f; 3 v; 4 f.

B: 1-4-6-8-3-2-5-7.

C: vede; vedono; vede; vive; dorme; sono; mi metto.

LA STRADA

A: 1 v; 2 f; 3 v; 4 f.

B: comincia; vuole; si baciano; aspettano; Si sente; scende; ci sono.

C: ~~domandano~~/domanda; ~~c'è~~/ci sono; ~~corrono~~/corre; ~~chiuse~~/chiusi.

IL SIGNOR RIGONI E LE VACANZE

A: 1 f; 2 f.

B: la; le; il; il; una; uno; il; gli.

IL SIGNOR RIGONI E LE DONNE

A: 1 f; 2 v; 3 f; 4 v.

B: 6-1-2-4-7-5-8-3.

C: parola; gentile; parola; romantica; parole; dolci; questo; momento; romantica; posto; romantico; stanca; stanca; tutte; mie; donne; tutte.

IL SIGNOR RIGONI E LO SPORT

A: 1 f; 2 v; 3 f.

B: ~~il sport~~/lo sport; ~~si incontra~~/si incontrano; ~~Posso gioco~~/Posso giocare; ~~Posso gioco~~/Posso giocare; ~~vuoi~~/vuole.

IL SIGNOR RIGONI VA A FARE SPESE

A: 1 v; 2 v; 3 f; 4 v

B: abito; cuore; vestiti; regalo; triste (agg.); vetrine; modo; prezzo.

C: 2-5-3-4-8-6-7-1.

IL SIGNOR RIGONI E LA TELEVISIONE

A: 1 v; 2 f; 3 v; 4 f; 5 f.

B: esce; ascolta; arriva; dice; mette; abita; Apre; trova.

C: tanta; gente; programma; televisivo; giacca; rossa; nuovo; gioco; alta; Signore; signori; contento; nuovo; tutti; storti; questi; storti; altri.

IL SIGNOR RIGONI E IL GIOCO

A: 1 v; 2 f; 3 v; 4 v.

B: 3-4-1-6-7-2-8-5.

C: per; di; per; a, in; a; al (a + il) con; in.

D: fa; chiude; vanno; si spengono; rimane; Deve.

RIGONI DIVENTA FAMOSO

A: 1 f; 2 v; 3 v; 4 v; 5 v.

B: ~~lo foto~~/la foto; ~~un settimana~~/una settimana; ~~vogliono~~/vuole; ~~tuo pubblico~~/suo pubblico; ~~vinco~~/vincere.

C: poche; il; suo; spesso; vogliono.

RIGONI INCONTRA MARZIA

A: 1 v; 2 f; 3 v.

B: 1-5-2-3-8-4-6-7.

C: pensa; comincia; Torniamo; ami; Devi; Faccio (Farò).

L'ULTIMA VOLTA IN TV

A: 1 f; 2 f; 3 f

B: felice; ultima; stanco; sicuro; difficile; grande; grosso; (~~leggero~~).

Note

IL RITORNO DI MARZIA - UNA VITA NUOVA

A: 1 v; 2 f; 3 v; 4 f; 5 f.
B: dallo; Prende; davanti; a.
C: 1-4-2-5-3-6.
D: in; con; da; per; di; a; in.

ALCUNI SUGGERIMENTI PER L'INSEGNANTE

Attività 1.

La classe viene divisa in due gruppi. A turno uno dei due gruppi propone all'altro tre parole riportate in nota. Il gruppo rivale deve costruire un piccolo dialogo utilizzando almeno due delle parole proposte.

Attività 2.

Si formano delle coppie. Ognuno dei due studenti fa un riassunto scritto di un capitolo o di una parte del racconto e consegna il foglio all'altro, che lo corregge.

Attività 3.

Drammatizzazione. Gli studenti mettono in scena un dialogo del racconto cercando di ripetere il più fedelmente possibile le battute del testo.

Attività 4.

L'insegnante consegna ad ogni gruppo un foglio con sopra un dialogo del racconto, da cui sono state tolte alcune battute. Gli studenti devono completare il dialogo e poi metterlo in scena.

Attività 5.

Ogni studente scrive una frase a piacere su un pezzo di carta, su cui poi vengono tracciate delle fitte righe orizzontali. Spiegate loro che questo è il modo in cui vede Rigoni nel racconto. Gli studenti poi si dispongono in circolo. Il primo di questi (A), consegna il suo foglio allo studente che gli siede vicino (B), che deve decifrare la frase scritta e poi ripeterla all'orecchio del compagno, il quale farà circolare la stessa frase, nello stesso modo, fino ad arrivare al punto di partenza (A). Fate in modo che lo studente d'origine dia conferma della frase così com'era. L'attività prosegue fino all'esaurimento delle frasi.

N.B. Le attività possono essere svolte indipendentemente dall'ordine di presentazione.

Note

INDICE

Collana "Italiano facile"

1° livello / 500 parole

Dov'è Yukio? E dove sono i tre studenti giapponesi della scuola di lingue Vox? Sotto il sole della Roma antica, tre amici - André, Carmen e Betty - cercano la soluzione del mistero.

Roberta è una giovane d.j. Da una piccola radio di Firenze parla della musica rock e della vita in città. Ma a Firenze qualcuno non ama la musica...

Collana "Italiano facile"
2° livello / 1000 parole

L'angelo Pippo è un angelo specializzato: aiuta gli uomini e le donne sulla Terra a trovare l'amore. Ma un giorno anche lui s'innamora...

Anna, Rita e Valentina sono tre amiche. Un giorno decidono di organizzare una festa nella casa fuori città di Giovanni. Ma la gente dice che in quella casa ci sono i fantasmi...

Collana "Italiano facile"

2° livello / 1000 parole

A Venezia, durante la festa di Carnevale, il vecchio Pantalone muore. Chi l'ha ucciso? Tutti pensano ad Arlecchino; solo Colombina, la figlia di Pantalone, non crede alle accuse. Un giallo veneziano, ricco di colpi di scena.

Due amici napoletani, Ciro e Lello, e una ragazza di nome Margherita. Uno strano sogno che si ripete uguale tutte le notti, un cavallo misterioso, i numeri del lotto. Un viaggio dal Sud al Nord d'Italia per giocare, tra tradizione e avventura, un'originale partita d'amore.

ALMA EDIZIONI
viale dei Cadorna, 44 - 50129 Firenze - Italia
tel ++39 055476644 - fax ++39 055473531
info@almaedizioni.it - www.almaedizioni.it